D1278416

Anthony Browne

OURSON et les chasseurs

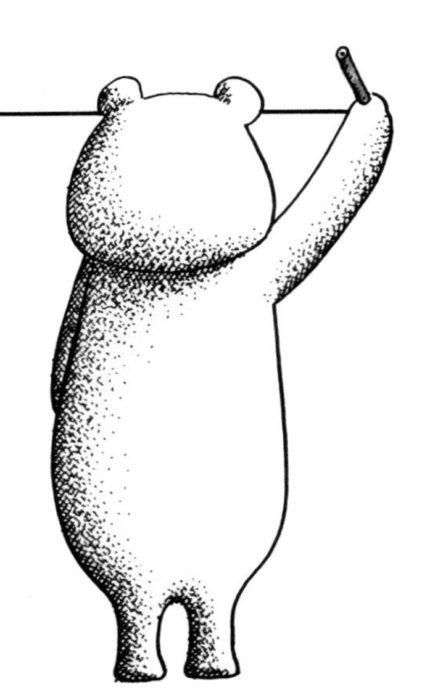

FLAMMARION

L'édition originale de cet ouvrage
a été publiée en 1979 en Grande-Bretagne
par Hamish Hamilton Children's Books Ltd., London
sous le titre : BEAR HUNT

Pour l'édition française,
traduite de l'anglais par Catherine Deloraine :

ISBN 2-08-171015-3
Printed in France
Imprimerie Pollina, Luçon — 6-1980 - Dépôt légal : 2e trimestre 1980 — N° d'édition 10622 — N° d'impression : 3213

Ourson partit un jour se promener.

Deux chasseurs s'étaient mis en route.

Ils aperçurent Ourson.

- Attention ! Méfie-toi, Ourson !

Ourson commença tout de suite à dessiner.

- Bravo, Ourson ! C'est du beau travail.

Mais il restait un autre chasseur.

- Cours, Ourson ! Sauve-toi !

Ourson sortit son crayon.

Et voilà.

Ourson poursuivit sa marche.

- Arrête-toi, le chasseur est de retour…

Ourson se mit rapidement au travail.

Ouf !

- Regarde en l'air, Ourson !

Ourson est pris.

Mais il a toujours son crayon…

- Quel astucieux, cet Ourson !

AU SECOURS !

- Il faut faire quelque chose, Ourson !

Ainsi Ourson put s'échapper…

…et les chasseurs restèrent au loin, derrière lui.